OWEN ET MZEE

L'HISTOIRE VRAIE
D'UNE AMITIÉ INCROYABLE

Racontée par ISABELLA HATKOFF, CRAIG HATKOFF
et PAULA KAHUMBU

Photographies de PETER GRESTE

Texte français de CLAUDINE AZOULAY

Éditions
SCHOLASTIC

CE LIVRE EST DÉDIÉ À LA MÉMOIRE DES QUELQUE 250 EMPLOYÉS DU GROUPE LAFARGE
QUI SONT MORTS OU ONT DISPARU LORS DU TSUNAMI LE 26 DÉCEMBRE 2004. ON PEUT VISITER
LE SITE WWW.LAFARGEECOSYSTEMS.COM POUR SAVOIR COMMENT VENIR EN AIDE À LEURS FAMILLES.

GUIDE DE PRONONCIATION

Kahumbu	ka-oume-bou
Malindi	ma-line-di
Mombasa	mome-ba-ssa
Mzee	m-zé
Swahili	soi-i-li

Ce livre est une adaptation du livre électronique *Owen and Mzee*, par les coauteurs Isabella Hatkoff, Craig Hatkoff et Paula Kahumbu,
qui a été présenté pour la première fois au *Five O'Clock News*, de la WNBC, à New York,
le 29 avril 2005, dans le cadre du festival de films de Tribeca.

Catalogage avant publication de Bibliothèque et Archives Canada

Hatkoff, Isabella

Owen et Mzee : l'histoire vraie d'une amitié incroyable / racontée par Isabella Hatkoff, Craig Hatkoff et Paula Kahumbu;
photographies de Peter Greste; texte français de Claudine Azoulay.
Traduction de : Owen and Mzee.
ISBN 0-439-94059-1

1. Hippopotame--Moeurs et comportement--Kenya--Ouvrages pour la jeunesse.
2. Tortue géante des Seychelles--Mœurs et comportement--Kenya--Ouvrages pour la jeunesse.
3. Comportement social chez les animaux--Kenya--Ouvrages pour la jeunesse.
I. Kahumbu, P. (Paula) II. Hatkoff, Craig III. Greste, Peter IV. Titre.

QL737.U57H3814 2006   j599.63'5139   C2005-906009-3

Édition publiée par les Éditions Scholastic, 604, rue King Ouest, Toronto (Ontario) M5V 1E1.

6 5 4 3 2   Imprimé au Canada   06 07 08 09

Conception du livre par Elizabeth B. Parisi. Le texte a été composé en Adobe Garamond

*Nous exprimons notre plus sincère reconnaissance aux héros de tous les jours, restés anonymes, qui ont contribué au sauvetage d'Owen.
Nous devons beaucoup à l'équipe dévouée du parc Haller, notamment Sabine Baer, directrice de la réhabilitation et des écosystèmes,
et le Dr Zahoor Kashmiri, vétérinaire spécialiste de la faune. Nous exprimons particulièrement notre reconnaissance
à Stephen Tuei, soigneur animalier en chef, pour l'aide qu'il a apportée à la création de ce livre.*

*Nous remercions également le Dr Harold Koplewicz et le Child Study Center de l'Université de New York, ainsi que nos amis
de la WNBC à New York qui ont fait connaître cette histoire à l'occasion du festival de films de Tribeca de 2005.
Des remerciements particuliers sont adressés à Juliana Hatkoff qui nous a aidés à peaufiner ce livre.*

*Nous aimerions souligner la contribution de Joshua Ginsberg, vice-président, Conservation Operations, Wildlife Conservation Society,
basée au zoo du Bronx, New York, et professeur à l'université Columbia (Ecology, Evolution and Environmental Biology),
en sa qualité d'expert-conseil pour ce projet.*

*Et surtout, nous tenons à remercier Owen et Mzee, qui sont une source d'inspiration et de joie
pour les enfants et les adultes du monde entier.*

Chers amis,

Comme tant d'autres gens aux quatre coins du globe, nous avons été fascinés par une photo incroyable publiée dans les journaux en janvier 2005. Elle montrait un jeune hippopotame blotti contre une tortue géante. Nous avons appris que cette association des plus surprenantes – dont les membres sont devenus depuis d'inséparables compagnons – était une conséquence du tsunami qui s'est produit dans l'océan Indien le 26 décembre 2004. Le récit sur leur capacité d'adaptation et sur leur amitié nous a profondément touchés, en tant que père et fille, et nous avons voulu approfondir le sujet.

Nous avons donc communiqué avec Paula Kahumbu, directrice générale du parc Haller où vivent désormais Owen et Mzee, et elle nous a raconté l'histoire intégrale du sauvetage dramatique d'Owen en mer et de la consolation qu'a apportée à l'hippopotame son amitié avec Mzee. Tous les trois, nous avons décidé d'écrire un livre afin de faire partager aux enfants et aux adultes du monde entier l'aventure d'Owen et de Mzee.

Par la suite, Peter Greste, le photographe dont l'image avait attiré l'attention de toute la planète sur Owen et Mzee, a volontiers accepté de participer à l'ouvrage. Et peu de temps après, ce livre a vu le jour.

Nous espérons que l'histoire incroyable qui suit sera une source d'inspiration pour vous, comme elle l'a été pour nous. Elle montre bien les affinités qui existent entre toutes choses et tout un chacun, et nous rappelle que, même quand les choses se présentent très mal, il ne faut jamais abandonner!

Avec amour et espoir,

Isabella   Craig Hatkoff

VOICI L'HISTOIRE VRAIE de deux grands amis : un jeune hippopotame baptisé Owen et une tortue géante âgée de 130 ans et prénommée Mzee.

L'hippopotame n'a pas toujours été l'ami de la tortue. Il ne s'est pas toujours appelé Owen. Et Owen n'a pas toujours été connu dans le monde entier. Voici ce qui s'est passé.

Avant que le jeune hippopotame soit baptisé Owen, il vivait avec sa mère au sein d'une colonie formée d'une vingtaine d'hippopotames. Ceux-ci s'alimentaient et se baignaient dans la rivière Sabaki et aux environs, au Kenya, un pays situé sur la côte est de l'Afrique. Alors que l'hippopotame avait à peu près un an, les pluies torrentielles de décembre ont fait gonfler la rivière. Les eaux bouillonnantes ont emporté Owen et sa famille jusqu'au point où l'eau douce devient salée, là où le fleuve se jette dans l'océan Indien, près du village côtier de Malindi.

Des jours durant, les habitants de Malindi ont essayé de faire remonter la rivière aux hippopotames. Mais les animaux aimaient paître sur le rivage et dans les jardins des villageois. Étant donné que les hippopotames sont les animaux les plus dangereux d'Afrique et qu'un adulte peut peser plus de trois tonnes, les gens ne pouvaient pas faire grand-chose.

Owen vivait au sein d'une colonie
d'hippopotames identique à celle-ci.

Le matin du 26 décembre 2004, la mer a monté brusquement sur les plages, et des vagues gigantesques ont déferlé sur le rivage. Un grand nombre de bateaux appartenant aux villageois ont été endommagés et beaucoup de pêcheurs ont dû être secourus. Après quelque temps, la mer est redevenue calme, mais tout le monde avait eu terriblement peur. Ce n'est que le lendemain que les gens ont repensé aux hippopotames. Les villageois n'ont alors vu qu'un seul hippopotame dans la mer : un jeune sans sa mère, sur un récif corallien ensablé, au milieu des herbes marines. À bout de forces et apeuré, il était incapable de regagner le rivage tout seul.

Aussitôt, des centaines de villageois et de visiteurs ont uni leurs efforts pour venir à la rescousse du jeune hippopotame. Ils savaient qu'il tomberait malade s'il restait dans l'eau salée trop longtemps. Ils ont utilisé des cordes, des bateaux, des filets de pêche et même des automobiles pour tenter de le secourir et de le ramener sur le rivage, en lieu sûr.

Pêcheurs de Malindi et leurs bateaux de bois décorés de couleurs vives

Owen s'est retrouvé seul sur un récif.

Ils n'ont pas tardé à comprendre que le sauvetage se révélerait difficile. Même si l'hippopotame était jeune et ne mesurait qu'une soixantaine de centimètres de hauteur, il n'en pesait pas moins quelque 270 kilos, et il était fort et glissant. En outre, il était affolé par le vacarme occasionné par les humains. Furieux, il perçait les filets et se libérait des cordes. Les heures ont passé et la foule de gens anxieux qui s'était pressée pour observer la scène craignait que l'hippopotame ne puisse pas être secouru.

Finalement, grâce à un filet à requins plus solide, les sauveteurs sont parvenus à capturer l'hippopotame. Un visiteur courageux, du nom d'Owen Sobien, l'a saisi à bras-le-corps, l'immobilisant assez longtemps pour que les autres hommes puissent refermer le filet sur l'animal. Voilà l'explication de son nom : au moment de baptiser l'hippopotame, il a semblé naturel de l'appeler « Owen ».

Les sauveteurs ont fini par ramener l'hippopotame sur la terre ferme. Quand ils ont atteint le rivage, une acclamation vive et joyeuse s'est élevée des milliers d'hommes, de femmes, de garçons et de filles qui s'étaient rassemblés sur la plage. On a entendu leurs cris de joie à plus d'un kilomètre à la ronde.

Pris ainsi dans le filet, Owen a été embarqué dans la boîte d'une camionnette et transporté dans un coin ombragé.

On a entendu les cris de joie à plus d'un kilomètre à la ronde.

Les gens ne savaient pas trop où emmener Owen. Ils ont donc téléphoné au parc Haller, une réserve naturelle située à environ 80 kilomètres de là, près de la ville de Mombasa. Paula Kahumbu, la directrice, a aussitôt offert d'héberger Owen. Elle a expliqué qu'on ne pourrait jamais le réintroduire dans la nature. Étant encore très jeune, il n'avait pas appris à se débrouiller tout seul. Il ne serait jamais accueilli dans une colonie : considéré comme un intrus, il serait attaqué par les autres hippopotames. Paula leur a assuré qu'on en prendrait bien soin au parc Haller. Elle leur a même proposé de venir elle-même le chercher à Malindi et de le transporter vers sa nouvelle demeure.

Paula savait qu'elle aurait besoin d'aide. Elle a donc demandé au soigneur animalier en chef, Stephen Tuei, de l'accompagner. Stephen sait très bien comment s'y prendre avec les animaux; certains prétendent même qu'il leur parle. Paula et Stephen se sont donc rapidement rendus à Malindi en camionnette.

Entre-temps, au parc Haller, l'écologiste Sabine Baer s'est mise au travail avec d'autres personnes en vue de préparer l'arrivée d'Owen.

Paula, Stephen et Sabine ont accepté volontiers d'aider l'hippopotame orphelin.

Une fois arrivés à Malindi, Paula et Stephen ont aidé les autres à retirer le filet et à sortir Owen de la camionnette où il se trouvait. Mais l'hippopotame, plus furieux que jamais, a foncé sur les gens massés autour de lui. On a essayé de le calmer en lui couvrant la tête avec une couverture. De cette façon, il ne serait plus en mesure de voir ce qui l'affolait. Mais cette situation l'énervait aussi. Après de nombreuses heures d'efforts, une douzaine de sauveteurs ont finalement réussi à le mener dans la camionnette de Paula. Ils ont attaché l'animal pour assurer sa sécurité durant le transport.

Tout le monde a fait de son mieux pour assurer le confort d'Owen.

Pendant ce temps-là, Sabine et d'autres employés ont préparé un grand enclos pour Owen. Ils ont choisi un coin du parc doté d'un étang et d'une mare de boue, ainsi que de grands arbres et de broussailles, tout ce qui fait le bonheur d'un hippopotame. L'endroit abritait déjà un certain nombre d'antilopes zébrées et de singes vervets, ainsi qu'une tortue géante prénommée Mzee.

Mzee, dont le nom signifie « vieux sage » en swahili, était l'animal le plus âgé du parc. À 130 ans, la tortue vivait déjà avant même la naissance de l'arrière-grand-mère de Stephen. Mzee n'était pas très sympathique, sauf avec Stephen, qui avait l'air de savoir ce que la tortue appréciait : se faire chatouiller sous le cou, par exemple. Sinon, Mzee était toujours solitaire.

À ce moment-là, personne ne se doutait du grand changement qui allait se produire dans la vie de cette tortue.

Stephen chatouille Mzee.

Paula et Stephen sont enfin arrivés avec Owen, alors affaibli et très fatigué. Aussitôt les cordes détachées, Owen est sorti précipitamment de la camionnette et s'est rué vers Mzee, dans un coin de l'enclos. Il s'est tapi derrière la tortue, comme le font les jeunes hippopotames derrière leur mère pour se protéger. Au début, Mzee n'appréciait pas l'attention qu'on lui prêtait. Elle sifflait en direction d'Owen et s'éloignait de lui. Mais Owen, qui n'avait pas de peine à rattraper la vieille tortue, n'a pas abandonné. Et petit à petit, pendant la nuit, Mzee a commencé à accepter son nouveau compagnon. Quand les employés du parc sont venus leur rendre visite le lendemain matin, ils ont vu Owen blotti contre Mzee, ce qui n'avait pas l'air de déranger la tortue.

Cette nuit-là, Owen et Mzee se sont blottis l'un contre l'autre.

Pendant quelques jours, Mzee a continué à s'éloigner d'Owen, qui insistait malgré tout et suivait la tortue. Cependant, il arrivait parfois qu'Owen s'éloigne de Mzee et que la tortue suive l'hippopotame. Peu à peu, la tortue est devenue plus amicale.

Au début, Owen refusait de manger l'herbe qu'on lui donnait. Stephen et les autres soigneurs craignaient qu'il ne s'affaiblisse davantage. Puis ils ont remarqué qu'Owen se nourrissait juste à côté de Mzee, comme si la tortue lui montrait comment manger. C'était peut-être aussi la présence rassurante de Mzee qui calmait suffisamment Owen pour lui permettre de manger. Personne ne le saura jamais. Ce qui est sûr, c'est que le lien qui s'est tissé entre Owen et Mzee a aidé le jeune hippopotame à se remettre, après avoir perdu sa mère et frôlé la noyade.

En présence de Mzee, Owen a commencé à se nourrir.

Les hippopotames comme les tortues adorent l'eau.

Au fil des semaines, Owen et Mzee ont passé de plus en plus de temps ensemble. Ils sont bientôt devenus inséparables. Jusqu'à présent, le lien qui les unit est demeuré très fort. Ensemble, ils nagent, mangent, boivent et dorment côte à côte. Ils se frottent le museau. Parfois, c'est Owen qui ouvre la marche vers différents coins du parc; parfois, c'est Mzee. Owen s'amuse à caresser le cou de Mzee, qui l'étire encore plus pour lui demander de continuer, comme elle le fait avec Stephen quand il lui chatouille le menton. Même si les deux animaux sont capables de se blesser mutuellement, ils ont un comportement très doux l'un envers l'autre. Il s'est établi entre eux un sentiment de confiance.

Owen gratte le cou chatouilleux de Mzee.

Les experts de la faune ne comprennent pas encore comment est née cette amitié inattendue. La plupart d'entre eux n'ont jamais eu connaissance d'un lien aussi fort entre un mammifère, comme Owen, et un reptile, comme Mzee.

Dans le cas d'Owen, la situation pourrait s'expliquer ainsi. Les jeunes hippopotames ont besoin de leur mère pour survivre. Une vieille et paisible tortue comme Mzee est incapable de protéger Owen comme le ferait une maman hippopotame féroce. Cependant, la couleur et la forme arrondie de Mzee étant semblables à celles d'un hippopotame, il se peut qu'aux yeux d'Owen, Mzee ressemble à la maman hippopotame dont il a besoin.

Ce qui est encore plus difficilement explicable, c'est l'affection que Mzee semble éprouver pour Owen. À l'instar de la plupart des tortues d'Aldabra, Mzee a toujours préféré être seule. Il arrive malgré tout à ces animaux de vivre en groupe, et il se peut que Mzee voie Owen comme l'une de ses semblables, la première tortue avec qui elle serait prête à passer du temps. Ou bien Mzee sait qu'Owen n'est pas une tortue et elle l'aime malgré tout.

On ne comprend pas très bien cette histoire. La science n'est pas toujours en mesure d'expliquer ce que le cœur ressent : il arrive parfois que nos amis les plus précieux soient justement ceux qu'on aurait le moins imaginés.

Owen et Mzee jouent à « Suivez le guide ».

La nouvelle de l'amitié entre Owen et Mzee a rapidement fait le tour du monde. Des gens de partout se sont pris d'affection pour Owen qui avait tant souffert et n'avait pourtant jamais abandonné, et pour Mzee qui était devenue l'amie d'Owen au moment où celui-ci en avait le plus grand besoin. Leurs photos ont paru dans d'innombrables articles de journaux et de magazines. Des émissions de télévision et même un documentaire les ont mis en scène. Tous les jours, des visiteurs se rendent au parc Haller pour voir les célèbres amis.

Owen et Mzee veillent l'un sur l'autre.

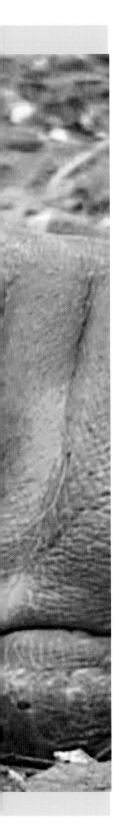

Owen a vécu une grande perte. Avec l'aide de nombreuses personnes bienveillantes et grâce à son extraordinaire détermination, il a démarré une vie nouvelle et heureuse. Ce qui est le plus remarquable, c'est le rôle joué par Mzee. Nous ne saurons jamais avec certitude si Owen considère Mzee comme une mère, un père ou un très bon ami. Mais en réalité, cela n'a aucune importance. Ce qui compte, c'est qu'Owen ne soit plus seul... et Mzee non plus.

Et voilà l'histoire vraie d'Owen et de Mzee, deux grands amis.

L'avenir d'Owen s'annonce radieux.

POUR EN SAVOIR PLUS SUR...

LE KENYA

Le Kenya est un pays situé au niveau de l'équateur, sur la côte est de l'Afrique. La majorité des Kenyans parlent le swahili, en plus de leur langue traditionnelle. Mzee est un mot swahili qui signifie « ancien » ou « vieux sage ».

MALINDI

Malindi est une petite localité située sur la côte de l'océan Indien. Beaucoup d'habitants sont des pêcheurs. Malindi est réputée pour ses magnifiques plages et récifs coralliens. Des milliers de visiteurs logent dans les hôtels de la ville. Un grand nombre de visiteurs ont participé au sauvetage d'Owen. La petite ville côtière de Mombasa se trouve à environ 80 kilomètres au sud de Malindi.

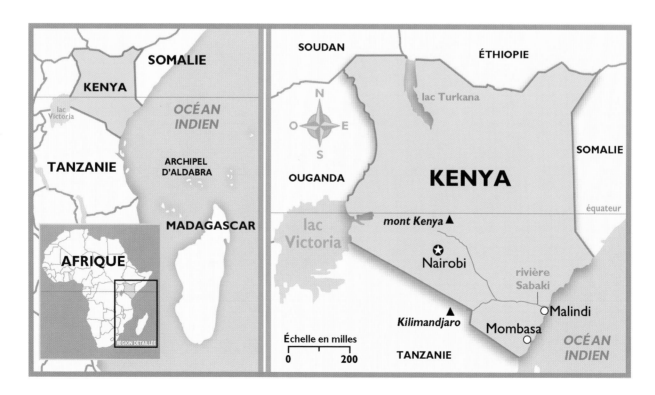

LES HIPPOPOTAMES

Les hippopotames vivent dans les rivières et les lacs de l'Afrique subsaharienne. Leur nom latin d'origine grecque *hippopotamus* (de *hippo* et *potamus*) veut dire « cheval de fleuve ». Les jeunes sont très dépendants de leur mère et restent avec elle jusqu'à l'âge de quatre ans. Les hippopotames sont irascibles et extrêmement agressifs. Leur vitesse, leur taille et leurs mâchoires puissantes leur permettent de défendre leur territoire contre les intrus. Mais ils n'attaquent pas pour se nourrir. Ils sont herbivores et ne mangent que de l'herbe. Ils vivent jusqu'à 40 ans à l'état sauvage et 60 ans en captivité.

LES TORTUES D'ALDABRA

La tortue d'Aldabra, que l'on trouve dans les îles Aldabra situées dans l'océan Indien, est l'espèce de tortue la plus grande du monde. Elle ressemble à la tortue des Galapagos, qui est plus connue. Une fois adulte, elle peut mesurer jusqu'à 1,20 mètre de longueur et vivre jusqu'à 200 ans. Les soigneurs de Mzee estiment qu'elle a environ 130 ans. Comme un grand nombre de tortues d'Aldabra, on pense que Mzee a été retirée de son habitat par des marins qui voulaient s'en servir en guise de nourriture. Il se peut qu'elle soit arrivée en Afrique après s'être échappée d'un bateau, peut-être à l'occasion d'un naufrage.

OWEN, MZEE ET LE TSUNAMI DU 26 DÉCEMBRE 2004

On a trouvé Owen, seul, le lendemain du terrible tsunami qui s'est produit dans l'est de l'océan Indien, le 26 décembre 2004. Les vagues gigantesques du tsunami ont été provoquées par un tremblement de terre de grande envergure qui a eu lieu dans le fond de l'océan, près de l'Indonésie. Plus de 175 000 personnes ont péri et des villes entières ont été détruites. Comme le tsunami avait parcouru 6400 kilomètres avant d'atteindre les côtes du Kenya, les vagues avaient perdu de leur intensité et les dégâts ont été moins importants. Le monde entier a néanmoins été choqué et attristé par cette catastrophe. L'histoire du sauvetage d'Owen et de son amitié avec Mzee a ramené l'espoir chez les gens de partout. Elle nous a rappelé que, même lors d'événements imprévisibles et effroyables, le pouvoir du courage, l'amour et la force de la vie peuvent l'emporter.

L'AVENIR D'OWEN ET DE MZEE

Les soigneurs envisagent de laisser Owen et Mzee ensemble aussi longtemps que les animaux souhaiteront le rester. Lorsque Owen a semblé prêt à accepter la compagnie d'autres hippopotames, on l'a transféré dans un étang plus grand où vivaient les autres hippopotames du parc, dont une femelle solitaire prénommée Cleo. On a transféré Mzee avec lui et ils sont toujours aussi amis.

LE PARC HALLER

Cette réserve naturelle, située à l'extérieur de Mombasa, a été créée par le Groupe Lafarge dans un objectif écologique, celui de réaménager une de ses anciennes carrières de calcaire. Plus de 150 grands animaux vivent dans un écosystème équilibré et soigneusement planifié. Les visiteurs sont accueillis tous les jours de la semaine et des milliers d'entre eux sont déjà venus spécialement pour voir Owen et Mzee. En visitant le parc Haller sur le site www.lafargeecosystems.com, on obtient les toutes dernières nouvelles sur Owen et Mzee.

RÉFÉRENCES PHOTOGRAPHIQUES